寺村輝夫　永井郁子

おかしは手作りがいちばん。
ちょっとくらいしっぱいしたって
だいじょうぶ。

こんがりやきあがったら、
かおりのいいお茶をいれて、
さあ、楽しいおやつの時間の
はじまりよ！

もくじ

わかったさんの　クッキー・・・・・・・・4

ロッククッキー・・・・・・・・・・8

ステンドグラスクッキー・・・・・・10

バーチディダーマ・・・・・・・・12

わかったさんの　ドーナツ・・・・・・・・16

レモンドーナツ・・・・・・・・・・20

パイナップルドーナツ・・・・・・22

チュロス・・・・・・・・・・・・24

わかったさんの　アップルパイ・・・・・・28

アップルパイ・・・・・・・・・32

まるごとアップルパイ・・・・・・・34

アップルクランブル・・・・・・・・36

手をよくあらってから、はじめましょう。
ほうちょうや火を使うときは、大人といっしょにやりましょう。

わかったさんの クッキー

わかったさんは、クリーニングやさん。
せんたくものから出てきた、かぎをかえしにいったマンションで、
クッキーのやきかたを、おそわることに…

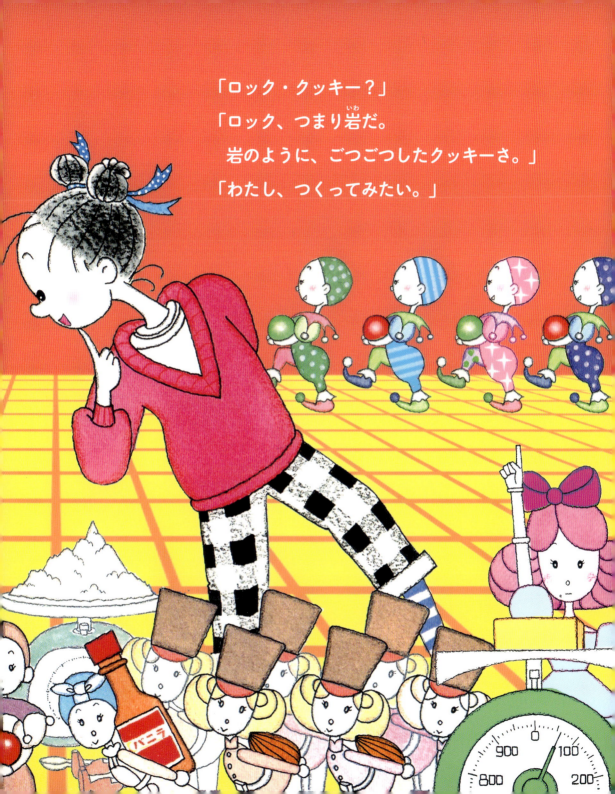

サクサク サックリ アーモンドあじ
ロッククッキーの作り方

1 まず、ざいりょうを きちんと はかります。バターは 冷蔵庫から 出しておきましょう。

2 オーブンを 180度に あたためはじめます。テンパンは 出しておくこと！

3 バターを あわだてきで なめらかになるまで かきまぜます。

ようい するざいりょう （30こ分）

生地のざいりょう

○バター	60g
○さとう	90g
○たまご	1こ
○バニラエッセンス	少々
○小麦粉（はくりき粉）	200g
○ベーキングパウダー	小さじ2/3
○アーモンドの角切り	100g

おしゃれ用のざいりょう

○ドレンチェリー （赤、みどり）
○アーモンドつぶ （おかし用）

4 さとうを くわえて、バターが 白っぽく ふわふわになるまで かきまぜます。

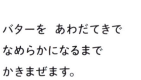

8

5 わって ほぐした たまごを 少しずつ くわえながら、あわだてきで かきまぜ、バニラエッセンスを 2てき おとします。

6 ここで、木べらに もちかえます。小麦粉と ベーキングパウダーを ふるいながら 入れ、下から上へ 粉を もちあげるようにして まぜあわせます。これで 生地の できあがり。

7 アーモンドの角切りを くわえて、生地に こうばしさをプラス。

8 生地が くっつかないように テンパンに サラダ油を ぬって、ティースプーンで すくった 生地を 2cmずつ あけて ならべます。

9 ドレンチェリーや アーモンドのつぶを 2つに切って、8の 生地に おしゃれをして、180度の オーブンで 15〜20分 やきます。オーブンのドアを あけないように。

10 やきあがったら、ケーキクーラーに のせて ねつを さまします。これで、サックリクッキーの できあがり。

キラキラ キャンディーで ステンドグラス クッキー の作り方

🗝 ロッククッキーの作り方の 6までと おなじように 生地を 作りましょう——

1 クッキーの生地を めんぼうで あつさ0.5cmくらいに のばします。

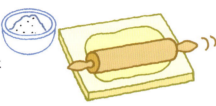

2 大きめのぬき型(がた)と 小さめの ぬき型を よういします。

3 1の クッキーの生地を 型で ぬきます。 クッキーに あながあくように 型を くみあわせます。

よういするざいりょう （30こ分）

生地のざいりょう

○バター	60g
○さとう	90g
○たまご	1こ
○バニラエッセンス	少々
○小麦粉	200g
○ベーキングパウダー	小さじ2/3

おしゃれ用のざいりょう

○あめ
色のちがう3しゅるいを5こずつ

ひとくちで めしあがれ
バーチデイ ダーマ の作り方

🔑 じゅんび──

1 バターを 冷蔵庫から 出して やわらかくしておく。

2 小麦粉と アーモンドパウダーを ふるっておきます。

よういするざいりょう	（30こ分）
○バター	50g
○グラニューとう	50g
○アーモンドパウダー	50g
○小麦粉（はくりき粉）	50g
○まっ茶	小さじ2
○ラズベリーパウダー	小さじ2
○着色ジェル	少し
○チョコレート	30g

まっ茶、ラズベリーパウダー、着色ジェルが なければ、色をつけないで 作ってみてね。

🔑 作ります──

3 バターに さとうを くわえて、あわだてきで 白っぽくなるまで まぜあわせます。

4 3に 小麦粉と アーモンドパウダーを いちどに くわえて、ゴムベラで ボウルに こすりつけるようにして まぜあわせます。

5
4を 2つに 分けて、
1つには まっ茶を、
もう1つには ラズベリーパウダーと
着色ジェルを よく まぜます。
ラップで しっかりと つつんで
30分ほど 冷蔵庫で
やすませます。

6
オーブンを 160度に あたためます。
生地を 5gずつに 分けて 手で まるめます。
クッキングシートをしいたテンパンに
生地を きれいに ならべて、15分 やきます。

7
やきあがった
クッキーを
さまします。

8
クッキーの平らなめんに
ゆせん または 電子レンジで
とかしたチョコレートを ぬって、
ちがう味のクッキーと
あわせて かためます。

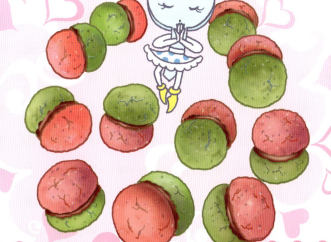

バーチディダーマは
イタリアごで
『きふじんのキス』

ロック　ロック　ロックッキー
サックリ　たべれば　ふっくり　あまく
とろーり　とけてく　ゆめの　あじ
おこってるひとは　わらいだし
わらってるひとは　おどりだし
ないてるひとの　なみだがとまる

わかったさんの
ドーナツ

おやすみの日に、女の子がブラウスのせんたくものをおいていった。
おいかけてまよいこんだ、見たこともないこうえんで、
わかったさんはレモンドーナツ・シンフォニーという音楽会にさそわれ…

ドーナツは、まるで、ふねのように、うごきだし、池をひとまわりすると、わかったさんたちの前で、ぴたりととまりました。
「すごい。大きなドーナツだわ。」

レモンジュースを　しぼりましょ
ジュウ　ジュウ　ジュワリ
ジュウ　サラリ
あまく　ただよう　よるのにじ

見まわしていると、きゅうに
レモンがゆれだして、ゆれる中から、
大きなテレビが出てきました。

あつあつ ふっくら
レモンドーナツの作り方

1 バターは 冷蔵庫から 出して、やわらかく しておきます。あわだてきで なめらかになるまで かきまぜます。

2 さとうを くわえて、バターが 白っぽくなるまで かきまぜます。

3 ボールに わって よく ほぐした たまごを 少しずつ くわえながら、かきまぜます。

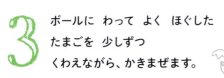

4 バニラエッセンスを 2てきと レモンのしるを くわえて かきまぜます。

5 ぎゅうにゅうと ブランデーを くわえて あわだてきで まぜあわせます。

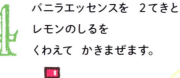
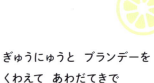

6 ここで、木べらに もちかえて、ふるいにかけた 小麦粉と ベーキングパウダーを まぜあわせます。耳たぶぐらいの やわらかさになったら、ひとまとめにして ラップに くるみ、冷蔵庫で 30〜60分 やすませます。これで 生地の できあがり。

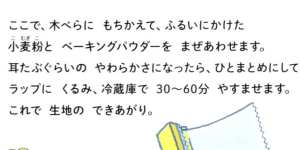

7
かわいたまないたに 小麦粉を ふって、その上に 生地を おき、めんぼうで 8〜10mmの あつさに のばします。

8
ドーナツ型を 生地に あてて、◎と○の形に 型ぬきします。型ぬきしたあとの生地は もういちど 1つに まとめて 型ぬきしましょう。

※大きなまるのぬき型と 小さなまるのぬき型を くみあわせてもオーケー！ 型にも 小麦粉を ふっておくと ぬきやすくなります。

9
170度の 油に 入れて 2〜3分あげて、おはしで うらがえしてから、もう2〜3分 あげます。こんがりきつね色に あがったら、油きりあみに とって、できあがり。

＊あげもの用の温度計で 温度を たしかめましょう。温度計は なべに くっつけないで つかいます。

＊やけどに ちゅうい！ 大人といっしょに 作ろう。

よういするざいりょう (7〜8こ分)

○バター	40g
○さとう	100g
○たまご	2こ
○レモンじる	50cc
○バニラエッセンス	少々
○ブランデーまたはラム酒	大さじ1〜2
○小麦粉（はくりき粉）	300g
○ベーキングパウダー	小さじ3
○ぎゅうにゅう	大さじ1

みつあみドーナツ、ツイストドーナツの作り方

油を よく きって、あついうちに グラニューとうや 粉ざとうを まぶしても おいしいよ！

パインの わっかが かくれてる
パイナップルドーナツ の作り方

よういするざいりょう	（4〜5こ分）
○ホットケーキミックス	200g
○たまご	1こ
○ぎゅうにゅう	30ml
○ココナッツオイル	大さじ1
（とかしたバターでもオーケー）	
○パイナップル（かんづめ）	4〜5まい
○サラダ油　あげ物をするくらいの量	
かざり用のざいりょう	
○チョコレート	100g
○チョコスプレー	少々

1 パイナップルの水気をクッキングペーパーでよく とっておきます。

2 たまご、ぎゅうにゅう、とかしたココナッツオイルをまぜておきます。

3 2に ホットケーキミックスを 入れて よくまぜ、生地を 作ります。

4 3を ラップにつつみ 冷蔵庫で 15分くらい ねかせ、生地を 5つに 分けます。

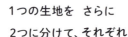

5 1つの生地を さらに 2つに分けて、それぞれパイナップルよりひと回り大きくのばします。

6 5の 生地と 生地の あいだに パイナップルを はさんで、かさねます。

7
型ぬきや ビンのふたなどを つかって まん中を くりぬきます。くりぬいたあとは、生地が やぶれて パイナップルが 見えていないか チェックします。あなが空いてたら ゆびでつまんで ふさぎましょう。

8
型ぬきや、グラスなどを つかって、パイナップルの まわりを くりぬきます。生地が きちんと くっついているか チェックしましょう。

こうなる

あまり

9
170度に ねっした サラダ油に 8を 入れて りょうめん キツネ色になるまで あげます。

＊やけどに ちゅうい！
大人といっしょに 作ろう。

10
ドーナツが さわれるくらいまで さめたら、とかしたチョコレートを ドーナツのかためんに つけます。

11
チョコレートが かわかないうちに、すきなかざりつけをして、できあがりです!!

カリッと もっちり
チュロスの作り方

🍋 じゅんび――

小麦粉を
ふるっておきます。

たまごを
といておきます。

🍋 生地を 作ります――

1 水とバター、しおを なべに 入れて
ふっとう直前まで
あたためます。

2 そこに、小麦粉を
いちどに 入れます。
弱火にして
しっかり まぜて
生地を
ひとまとまりに
します。

ようい するざいりょう	
（10～15本分）	
生地のざいりょう	
○水	150ml
○バター	25g
○しお	小さじ1
○小麦粉（はくりき粉）	100g
○たまご	1こ
○あぶら	
しあげのざいりょう	
○グラニューとう	大さじ1
○シナモン	小さじ1

3　2を ボウルに うつして、
　　そこに といたたまごを
　　少しずつ
　　くわえていきます。

あげます ——

4　星型の口金を つけた
　　しぼりぶくろに 生地を 入れて、
　　ワックスペーパーの 上に
　　しぼります。
　　15cmくらいの ぼうや
　　わっかの形に。

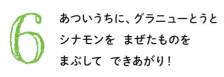

星型のしぼり口

5　170度の 油で あげます。
　　火が とおってくると、
　　ワックスペーパーが
　　はがれてくるので とりのぞきます。
　　とちゅうで うらがえして、
　　きつね色に なるまで
　　あげます。

170度

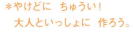

＊やけどに ちゅうい！
　大人といっしょに 作ろう。

6　あついうちに、グラニューとうと
　　シナモンを まぜたものを
　　まぶして できあがり！

わかったさんの
アップルパイ

こまっていたところをたすけてくれた、ウサギのシロタさんに、
アップルパイをやくようにたのまれた、わかったさん。
くもの上のかみなりさまや、クマのおばさんにおそわって作ったら…

バルーンは、わかったさんひとりをのせて、
上へ、上へと、とんでいきました。
下を見ると、きれいなけしきです。
「すてき！」

かみなりさまが、パイを作る？
わかったさんには、
わからないことばかりがつづきます。

ついていくと、こおりの家がありました。
まるでれいぞうこです。

さっくり あまずっぱい
アップルパイ の作り方

🍎 リンゴを にます

1 リンゴを 6〜8つに わって、皮と しんを とり、5mmの あつさの うす切りにします。

2 ホーローなべに リンゴ、さとう、レモンじるを 入れて、そのまま 15〜20分ほど おいて おきます。しばらくすると、リンゴから ジュースが 出て しっとりとしてきます。

3 ちぎったバターを なべのところどころに 入れ、さっと水あらいしたレーズンを ちらします。おとしぶたをして、中火で 10〜15分 ことことにて、火を とめて そのまま さまします。シナモンを ふりかけても オーケー。

🍎 形を 作ります

4 冷凍（れいとう）のパイシートは、冷凍庫（れいとうこ）から 冷蔵庫（れいぞうこ）に うつして、さいてい4時間 おいて 解凍（かいとう）します。 前の日に 冷蔵庫に うつしておくと らく。

5 パイシート 1まいを たてよこ20cmの 正方形に 切って、パイざらに のせ、ゆびで かるくおさえて パイざらに しいて あまったところを パイざらのふちにそって 切りとります。

よういするざいりょう
（直径18cmのパイざら1まい分）

○冷凍パイシート	1パック
○リンゴ	3こ
（皮と しんを とって600g）	
○さとう	100g
○バター	20g
○レモンじる	1/2こ分
○レーズン	大さじ2
○たまご	1こ
○シナモン（おこのみで）	少々

32

6 5の パイシートのそこに、フォークの先で 空気ぬきのあなを あけます。のこりのパイシートで 1cmはばのおびを 数本 作っておきます。

🍎 仕上げます——

7 パイが 高く やきあがるように パイざらにしいた パイシートのふちの まわりに といたたまごのきみを ぬり、 1cmはばのおびを かさねておさえます。 そして 中に 3の リンゴを つめます。

8 リンゴをつめた上を、6の パイのおびで かざります。パイシートと パイシートの かさなりには、たまごのきみを ぬって かるく おさえます。たまごが、のりの かわりになります。

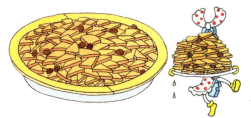

9 きれいなやき色が つくように、 パイシートの 表面に たまごのきみを ぬり、 220度で 10分、200度で 10分、 180度で 10分と 少しづつ 温度を下げながら やきあげます。

10 オーブンから 出して、 パイざらを とれば できあがり。あついので、 やけどに ちゅうい！

33

リンゴが ごろっと！ まるごとアップルパイ の作り方

🍎 **じゅんび——**

1 冷凍（れいとう）パイシートを 冷凍庫（れいとうこ）から 出して とかしておきます。

2 リンゴの 皮を むきます。

3 リンゴを じくのある方から なかみを くりぬき、まん中のたねを とりのぞきます。
下まで あけないで、そこを のこしておきましょう。

だんめんず

4 シナモンと さとうを まぜあわせたものを、リンゴぜんたいに まぶします。バットなどに 入れて ころがすといいでしょう。
リンゴから 水分が 出てくるまで しばらく そのまま おいておきます。

5 やわらかくなったバターに さとうを くわえ、白っぽくなるまで よく まぜます。
ここに たまごを 入れ よく まぜあわせます。
さらに ふるったアーモンドパウダーと 小麦粉（こむぎこ）を 入れ、ゴムベラで ねらないように まぜあわせます。
さいごに レーズンを 入れ ぜんたいてきに まぜあわせます。

よういするざいりょう　（4こ分）

○リンゴ　4こ

リンゴにまぶす用のざいりょう

○さとう（できれば きびざとう）	50g
○シナモン	50g

リンゴにつめる用のざいりょう

○バター	20g
○グラニューとう	20g
○たまご	1/2こ
○アーモンドパウダー	15g
○小麦粉（はくりき粉）	5g
○レーズン	30g

リンゴをつつむ用のざいりょう

○冷凍パイシート	4まい
○たまごのきみ	1こ分
○水	大さじ1
○シナモンスティック	1本

6 リンゴの くりぬいたところに、5の クリームを スプーンを つかって 入れます。

🍎 パイで つつんで やきます——
オーブンを 200度に あたためておきます。

7 パイシートを ぱたっと 2つに おって、リンゴが すっぽりつつまれるくらいの 大きさの正方形に のばします。

オーブンを 200度に あたためよう

8 パイシートには、リンゴをおくところを 中心に ほうちょうで 8本 切れめを 入れます。

9 まん中にリンゴをのせたパイを つつんでいきます。パイ生地があまる部分は、キッチンハサミで 切りとりましょう。ぜんたいを つつめたら、あまった生地を 葉っぱの形に 切って のせます。

10 大さじ1の水で たまごのきみを といて はけで まわりに ぬります。

11 あたたまったオーブンに 入れて、20分、そのあと 温度を 160度に 下げて 20分 やきます。

200度で20分

160度で もう20分

12 1本を4つに 切った シナモンスティックを さして、できあがりです。

切ってみると、こんなかんじです！

ホロホロ サクサク
アップルクランブルの作り方

🍎 じゅんび

1 リンゴのしんを 取って、一口大に 切ります。

2 1の リンゴに、なかみのざいりょうののこりを すべて入れて よく まぜて なじませます。ひとばん 冷蔵庫(れいぞうこ)に おいておきます。

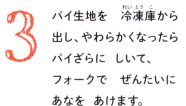

🍎 パイを 作ります

3 パイ生地を 冷凍庫(れいとうこ)から 出し、やわらかくなったら パイざらに しいて、フォークで ぜんたいに あなを あけます。

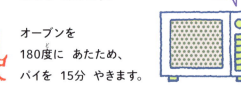

（180度で15分）

4 オーブンを 180度(ど)に あたため、パイを 15分 やきます。

🍎 フィリング（なかみ）を作ります

5 ひとばん ねかせたら、リンゴを 取り出して しるだけを はんぶん くらいに なるまで につめます。

6 につめたしるを リンゴに からめます。

よういするざいりょう
（18cmのパイ型1台分）

生地のざいりょう
- パイシート（冷凍）　　1まい
- ビスケット　　　　　　10まい

なかみ用のざいりょう
- りんご（できれば 紅玉）　2こ
- さとう（できれば きびざとう）70g
- シナモン　　　　　大さじ1
- レモンじる　　　　1こ分
- あれば カルダモン　小さじ1
- あれば ラム酒　　　大さじ1

クランブル用のざいりょう
- バター　　　　　　　60g
- 小麦粉（はくりき粉）60g
- アーモンドパウダー　30g
- グラニューとう　　　30g
- ココア　　　　　　大さじ1
- シナモン　　　　　大さじ1

かざり用のざいりょう（おこのみで）
- ミント　　　　　　少々
- かぼちゃのたね　　8こ

🍎 クランブル（そぼろクッキー）を作ります──

7 クランブルのざいりょうを すべて フードプロセッサーに 入れて ポロポロになるまで かきまぜます。手で まぜて ポロポロにしても よいです。 そのときは、冷蔵庫で 少し やすませてから つかいます。

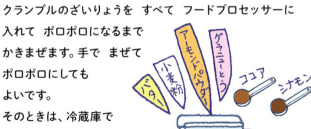

9 7の クランブルを リンゴが かくれるように のせます。

10 180度の オーブンで、50分 やきます。

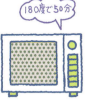

11 ミントや かぼちゃの たねで かざりつけて できあがり！

🍎 やきます──

8 ビスケットを くだいて、4の パイの中に しきつめて、その上に 6の リンゴを のせます。

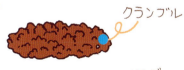
クランブル

りんごフィリング

ビスケット

パイ

ぜんぶ のせたら オーブンへ

「まあ、きれいな花よめさん！」
　ウサギのシロタさんがいいました。
「これより、リスのナガオさんと、
　わかったさんのけっこんしきをはじめます。」

……お話のつづきは、
「わかったさんの おかしシリーズ」で。

寺村輝夫（てらむら てるお）

1928年、東京都生まれ。早稲田大学卒業。文京女子大学（現・文京学院大学）名誉教授。童話や絵本作品を数多く執筆し、毎日出版文化賞、国際アンデルセン国内賞、巌谷小波文芸賞、講談社出版文化賞絵本賞を受賞。こまったさんが活躍する「おはなしりょうりきょうしつ」のほか、「ぼくは王さまシリーズ」「寺村輝夫のとんち話むかし話」「たまごのほん」「くりのきえんのおともだち」『トイレにいっていいですか』『どうぶつえんができた』などを手がける。全集に「寺村輝夫全童話」（全9巻）がある。

永井郁子（ながい いくこ）

1955年、広島県三原市生まれ。多摩美術大学油画科卒業。寺村輝夫とコンビを組んだ作品は「かいぞくポケットシリーズ」など50冊をこえる。そのほかに「きせつのえほんシリーズ」『しろくろつけてシマウマくん』、茶道の心得を紹介する『サミーとサルルのはじめてのおまっちゃ』「おしゃれさんの茶道はじめて物語シリーズ」などがある。

レシピ＊興膳陽子（P8、P16、P28）
　　　　さわのめぐみ（P10、P12、P22、P24、P34、P36）
ブックデザイン・タイトル＊下山ワタル
ブックデザイン＊小久保美由紀

わかったさんと　おかしをつくろう！①
わかったさんの　こんがりおやつ

2017年9月初版　2025年7月第5刷　　　　　　　　　　　　　　　　　　NDC596　40p　22cm
原　文＊寺村輝夫
企画・構成・絵＊永井郁子
発行者＊岡本光晴
発行所＊株式会社あかね書房
　　　　〒101-0065　東京都千代田区西神田3-2-1　　TEL 03-3263-0641（営業）　03-3263-0644（編集）
印刷所＊株式会社精興社
製本所＊株式会社難波製本

©T.Teramura I.Nagai 2017　ISBN978-4-251-03791-6　　　　　　　　　　　　https://www.akaneshobo.co.jp
落丁本・乱丁本はおとりかえいたします。　定価はカバーに表示してあります。

わかったさんの
おかしシリーズ
〈全10巻〉

寺村輝夫・作　永井郁子・絵

わかったさんといっしょに
おかし作りのレッスン！
ふしぎで楽しい、童話の世界へ